西南学院大学博物館研究叢書

キリスト教美術をみとく

イエス・キリスト, 聖母マリア, 諸聖人

山尾彩香=編

西南学院大学博物館
SEINAN GAKUIN UNIVERSITY MUSEUM

ごあいさつ

　西南学院大学博物館では「楽しみながら学ぶ」をコンセプトに，開館以来さまざまな教育普及活動を行ってきました。博物館や展示への関心をもってもらい，キリスト教文化に触れて学んでほしいという想いを胸に，展覧会のガイドツアーや講演会，キリスト教や展示資料に関連するワークショップやリクレーションなどを開催してきました。そのなかで，ふだん博物館になじみのない方々にも，博物館に足を運ぶきっかけになるような展示ができないかと考えてきました。

　本展覧会では「やさしいキリスト教展」と新たなシリーズ名を冠し，こどもから大人まで，幅広い世代の方々に楽しんで学んでいただけるような展示づくりを目指しました。今回は当館コレクションの中でも「キリスト教美術」に焦点をあて，人物をテーマとしています。キリスト教とはなにか，イエス゠キリストや聖母マリアとはどういった人物なのか，そして資料には何が描かれているのかなど，やさしく解説しつつも，しっかりとした学びも得られるような展示となっています。

　本展覧会を通じて，当館だけでなくほかの博物館などでもキリスト教美術を鑑賞するきっかけとなれば嬉しいかぎりです。これまでの展覧会とは少々趣の異なる企画展とはなりますが，皆様のキリスト教の文化や歴史への理解の一助となれば幸いです。

西南学院大学博物館館長

伊 藤 慎 二

目　次

やさしいキリスト教展シリーズ

キリスト教美術をみとく
―キリスト・聖母・聖人―

　世界で最も多くの人が信仰しているとされるキリスト教。しかしキリスト教の文化や芸術は，教派や地域によってさまざまです。やさしいキリスト教展シリーズは，古今東西，キリスト教に関する事柄や分野を，博物館のコレクションとともに分かりやすく「みとく*」企画展です。今回のテーマはキリスト教美術です。

　ヨーロッパにおける美術の主流はおおよそがキリスト教です。その歴史は古く，2世紀末から1500年以上にわたって，時代的にも地域的にも多種多様に発展してきました。それはヨーロッパに限らず，キリスト教が世界に布教されるとともに世界各地でも受容され，独自の様式を生み出していきました。キリスト教美術は世界中で鑑賞できる巨大ジャンルでもあるのです。キリスト教美術はポイントをつかめば「なに」が描かれているのかが分かる美術でもあります。本展覧会では，キリスト教の主要な人物であるイエス・キリスト，聖母マリア，諸聖人に注目してキリスト教美術をみときます。

　　*「みとく」見解く：見て理解すること。味得：内容をよく味わって自分のものにすること。

主催：西南学院大学博物館
会場：西南学院大学博物館特別展示室
会期：2022年9月19日（月）～2023年1月14日（土）

【凡例】
◎本書は，2022年度西南学院大学博物館企画展Ⅱ「キリスト教美術をみとく―キリスト・聖母・聖人―」〔会期：2022年9月19日（月）～ 2023年1月14日（土）〕の開催にあたり，作成したものである。
◎本書掲載の資料番号と展示資料番号は対応していない。
◎各資料のデータは，〔年代／制作地／作者／素材・形態・技法／所蔵〕の順に掲載している。ただし，不詳のものは記載していない。複製資料については原資料のデータを掲載している。
◎本書の聖書の引用や固有名詞は，原則として新共同訳聖書による。
◎本文の聖書出典の引用文において，書名の一部に略語を用いている（下記参照）。
◎本書の編集，執筆は山尾彩香（本学博物館学芸研究員）がおこなった。ルルドの聖母（p.35）の執筆は栗田りな（本学博物館調査研究員）がおこなった。編集補助には，鬼束芽依（本学博物館学芸研究員），栗田りながあたった。
◎本図録に掲載している写真を許可なく転写・複写することは認めない。

◆書名略語

新約聖書　書名	略語	新約聖書外典　書名	略語
マタイによる福音書	マタイ	ヤコブ原福音書	ヤコブ
マルコによる福音書	マルコ		
ルカによる福音書	ルカ		
ヨハネによる福音書	ヨハネ		
使徒言行録	使徒		
ヨハネの黙示録	黙		

第 I 章
イエス・キリスト

　イエス・キリストとは何者なのだろうか。

　イエスは紀元前7〜4年頃，ユダヤのベツレヘムで，聖霊により身籠（みごも）ったとされる母マリアから誕生する。マリアの夫である養父のヨセフは大工だったため，イエスは故郷のナザレで家業を手伝い暮らしていた。

　紀元28年頃，ヨルダン川で親類のヨハネから洗礼を受けたイエスは，およそ30歳の頃より宣教活動をはじめる。ガリラヤ地方で伝道をはじめ，2〜3年の間に弟子を集め，奇跡や説教を行い，多くの民衆をひきつけた。ユダヤ人であるイエスはユダヤ教徒であったが，その活動はユダヤ教指導者たちの反感を買うものだった。

　ユダヤ教の祭日である過越祭（すぎこしさい）をひかえ，イエス一行はエルサレムへと向かう。そこで弟子の裏切りにあい逮捕されたイエスは，裁判にかけられ磔刑（たっけい）に処された。しかしイエスは死後に復活し，弟子たちの前に姿を現す。そして弟子たちに伝道をするように説いたのち，再臨（さいりん）を誓って昇天するのだった。

　キリスト教とは，イエスの弟子たちや信徒が，ナザレのイエスを救い主であるキリストと信じ，その教えを伝え守る宗教である。

はじめに

　キリスト教美術が発展した背景には識字率(しきじりつ)の低さがありました。文字の読めない人々にとって図像は，聖書の内容や教えを視覚的に学ぶ大きな助けとなったのです。また，聖像画がもつ芸術的な美は人々を感動させ，宗教的な感情を高揚させる効果も期待されます。キリスト教は伝道を使命とする宗教でもあるため，キリスト教美術のもつこれらの機能は，言葉や文化が異なる地でも存分に発揮されました。

　本書で取り扱う作品はすべて西南学院大学博物館が所蔵する資料（一部，複製資料）です。何点かは有名な資料もありますが，ほとんどの資料は見聞したことのないものばかりでしょう。しかし，キリスト教美術はポイントやコツさえつかめば，見たこともないそれらを「みとく」ことができるのです。

　キリスト教美術へのアプローチの仕方はさまざまありますが，本書ではキリスト教の主要な人物に焦点をあてて，資料を見解き，その芸術を味得することを目指します。ふだんキリスト教になじみのない方でも，本書や当館の展示を通して，少しでもキリスト教の文化や歴史を楽しく学んでいただければと願います。

イエス・キリスト
Jesus Christ

◀資料1　全能者キリスト
20-21世紀／ギリシア／板，着色／
西南学院大学博物館蔵

イエスという名前はヘブライ語で「主なる神は救いである」を意味する，当時は一般的な男児の名前だった。一方，キリストとはヘブライ語のメシア（「油を塗られた者」という意味）のことで，これは救済者の称号でもある。つまり「イエス・キリスト」という語句は全体が氏名なのではなく，本来は「イエスという個人をキリスト（救世主）として信じています」という信仰告白を示す表現である。

　全能者キリスト（資料1）は正教会の主要なイコンのひとつで，聖書をもち，右手で祝福を与えるイエスが描かれている。イコンとは，イエスや聖母，諸聖人の肖像や出来事を描いた礼拝用の聖像画のことをいう。正教会ではイエス・キリストのことをギリシア語に由来するイイスス・ハリストスと呼び，本資料でも光輪の左右にその略称（IC XC）が書かれている。本資料のように，イエスは長髪に髭のある壮年の男性として描かれるのが定番の姿である。

みとくポイント！

三位一体

　キリスト教は一神教であるが，この唯一神を三位一体とする考え方がある。三位一体とは，①ユダヤ教から引き継ぐ創造主たる父なる神，②イエス・キリストたる子なる神，③神から人に与えられる聖霊からなり，この三つの自立した存在（位格）が一つの実体（神）であるとする神の特性をいう。

　キリスト教美術ではこの三位一体を，正三角形で表したり，父なる神は老人，子なる神はイエス，聖霊は鳩の姿などで描かれたりする。数字の3は，この三位一体を象徴し，聖なる数字とされる。

イエス・キリストの生涯

資料2 『福音書についての註解と瞑想』
1595年／アントワープ（ベルギー）／ヘロニモ
・ナダル／紙に銅板／西南学院大学博物館蔵

聖書の学びと瞑想のための手引書。キリストやマリアの生涯，
教会暦の祝祭の起源に関する図版が153点掲載されている。

降誕

　ベツレヘムの厩で母マリアから生まれたイエスは，羊飼いやマギからユダヤ人の王として礼拝される。生後八日目には割礼を受け，イエスと名付けられた。ヘロデ大王は未来の王を殺すため，ベツレヘムの二歳以下の男児を虐殺するよう命じた。しかし，養父ヨセフは事前に天使からエジプトに逃╱

公生涯

　ヨハネから洗礼を受けたイエスは，聖霊に導かれて荒野へ行き，四十日間の断食を行う。そこで悪魔から三つの誘惑を受けるがこれを退ける。

　公の生活（公生涯）にはいったイエスは，ガリラヤ地方を中心に宣教活動を行い，弟子を集め，さまざまな奇跡を起こす。

　ガリラヤ湖で網漁をしていたペトロとアンデレの兄弟を見つけたイエスは「わたしについて来なさい。人間をとる漁師にしよう」と声をかけた。すると二人はこれを聞い╱

弟子の召命

受難

　エルサレムへとやってきたイエスは，弟子たちの足を自ら洗い，夕食を共にする。その晩，ゲツセマネの園で祈っていたイエスは，ユダの裏切りによって逮捕される。裁判にかけられたイエスは，ユダヤ教の指導者や民衆に煽動され死刑判決となり，十字架にかけられて息を引き取る。

ゲツセマネの祈り

磔刑

＼げるように言われていたため，イエスは難を逃れる。その後，ヘロデ大王が死んだことをお告げで知ると，イエスたちはイスラエルへと帰り故郷のナザレで暮らした。

　イエスが12歳のときには，エルサレムの神殿で学者たちと高度な神学問答をするほどにイエスは聡明に育つ。

キリストの降誕

神殿での少年イエス

＼てイエスに従った。また，別の兄弟であるヤコブとヨハネが舟で網の手入れをしていると，イエスに声をかけられたので二人もイエスに従った。

　あるとき，ペトロ，ヨハネ，ヤコブを連れて山上で祈っていたイエスが光り輝き変容する。イエスの顔は太陽のように輝き，服は光のように白くなった。イエスは現れたモーセと預言者エリヤと語り合う。天からは「これはわたしの愛する子，わたしの心に適う者」という，イエスを神の子とする言葉が聞こえた。

キリストの変容

復活

　イエスは死後三日目に復活し，四十日間弟子たちに教えを説くと，昇天する。その十日後，聖霊が使徒たちを満たし，彼らに伝道のための能力を授けるのだった。

キリストの復活

昇天

降誕
Nativity

［新］マタイ2, ルカ2:140
［外］ヤコブ17-20

資料3　キリストの降誕
20-21世紀／ギリシア／板, 着色／西南学院大学博物館蔵

　ローマ皇帝が人口調査のため，領土の全住民に祖先の地で住民登録をするよう命じた。そのため，ヨセフは身重（みおも）のマリアを連れて，ナザレから故郷のベツレヘムへと向かう。そこで産気づいたマリアだったが，どこの宿屋もいっぱいだったため，厩（うまや）でイエスを出産し，布にくるんで飼葉（かいば）桶（おけ）に寝かせたのだった。

　🔍　降誕の場面では，幼子イエス，マリア，ヨセフが厩もしくは洞窟にいる様子が描かれる。新約聖書外典の『ヤコブ原福音書』によると，ベツレヘムへと向かう途中の荒野でマリアが産気づいたため，ヨセフが洞窟に連れていったとある。本外典は正教会に大きな影響力をもっており，正教会のイコンである本資料もそれにならって洞窟での降誕となっている。幼子イエスの光輪のそばにはキリストを指す「IC XC」の略字があり，マリアのそばには「神の母」を意味する「MP ΘY」が記されている。

　聖書や外典に記述はないが，降誕の場面ではウシやロバ（ロバについては外典でマリアが乗っている）がよく描かれる。ウシは旧約聖書，ロバは新約聖書を象徴しているともされる。降誕の際，天使からイエス誕生のお告げを聞いた羊飼いがイエスを礼拝したことから，本資料にも羊飼いの姿が描かれている。ヒツジ（子羊）は生贄の動物であり，その犠牲的な役割から，聖書のなかでイエスは「神の子羊」と呼ばれ，キリスト教美術でもヒツジはイエスの象徴としてよく描かれる。

みとくポイント！　　　　　　**光輪（ニンブス）**　　　　　　●

　神や聖なる人物であることを示す，頭部を取り囲むように描かれる円や輪，放射線の光輝。光背や後光とも呼ばれる。十字が描きこまれる光輪をもつのは，ほとんどがイエスもしくは三位一体である。

東方三博士の礼拝（マギの礼拝）
Adoration of the Magi

[新] マタイ 2:1-18

　ベツレヘムでイエスが誕生すると，エルサレムのヘ
ロデ大王のもとに，東方からマギ（占星術の学者，博
士）たちが訪れた。彼らはユダヤ人の王が生まれたこ
とを告げる星をみて，拝みにきたという。初めてその
ことを知ったヘロデは，幼子を見つけたら報告するよ
うにいってマギを送り出す。マギたちは星に導かれ
てイエスとマリアのもとに辿り着く。彼らは幼子に
ひれ伏すと，黄金，乳香，没薬を贈り物として捧げた。

　　東方三博士の礼拝の場面では，聖母子と三人の
マギ，ベツレヘムの星が重要な要素となる。聖書にマ
ギの人数は書かれていないが，贈り物が三つあったこ
とから三人のマギが描かれるようになった。本資料で
は，三人のマギはそれぞれ老年，壮年，青年の姿をし
ており，そのうちの一人は黒人として描かれている。
これは人間の三世代を描くことで人類を象徴し，黒人
を描くことで世界を構成する三つの領域（ヨーロッパ，
アジア，アフリカ）を象徴する。三人のマギのアトリビ
ュートである三つの贈り物はそれぞれシンボルとして

資料4　東方三博士の礼拝
17世紀以降／フランドル／
カンヴァスに油彩，額装／
西南学院大学博物館蔵

も意味をもつ。黄金はイエスの力や王権を，乳香は神性，没薬は防腐剤として使われ
ていたことから死の犠牲を意味する。マギたちを導いた星は「ベツレヘムの星」と呼
ばれ，本資料でも右上に一等輝いて描かれている。クリスマスツリーの頂上に飾られ
る星は，このベツレヘムの星だとされる。

みとくポイント！　　　　アトリビュートとシンボル

　アトリビュートとは，描かれた人物の素性や特性，他の人物と識別するために，
その人物に持たせたり，そばに置かれたりする事物。人物に関連のある物や道具，
動植物，衣服や身体の一部，ゆかりの深い人物などがアトリビュートとなる。持物
とも訳される。
　シンボルとは象徴のことで，その事物自体が何らかの意味をもつもの。シンボル
はそれ自体が種多様な意味をもち，描かれる状況や人物によって意味が異なる場
合も多い。
　アトリビュートは人物を特定するためのヒントであり，シンボルは人物や事象の
解釈を深めるものだといえる。シンボルは独立して描かれても意味をもつが，アト
リビュートは主役となる人物がいなければ基本的に成立しない。

洗礼
Baptism

［新］マタイ 3:13-17, マルコ 1:9-11
ルカ 3:21-22, ヨハネ 1:29-34

　イエスは，ヨルダン川でヨハネから洗礼を受ける。イエスが水から上がると，天が裂け，鳩の姿をした神の霊が降りてきた。天からは「これはわたしの愛する子，わたしの心に適う者」という声が聞こえてきた。

　洗礼の場面は，天から降りてくる鳩，洗礼者ヨハネ，イエスで基本的に構成される。本資料では中央に腰まで川に浸かる裸のイエスがおり，傍らには洗礼後のイエスのために衣をもつ天使が描かれている。洗礼の様子は，本資料のようにイエスが川に身体の大部分を浸ける浸水型や，足首までしか浸からず頭上から聖水を注がれる灌水型などがある。

> **シンボル▶ 鳩**　聖霊の象徴。白い鳩はキリストの洗礼や受胎告知などで登場し，神のことばを伝える使者でもある。平和や清純さ，神の犠牲なども象徴する。

資料5　時禱書零葉
「キリストの生涯」

誘惑
Temptation

［新］マタイ 4:1-11, マルコ 1:12-13
ルカ 4:1-13

　イエスは荒野にて四十日間の断食を行い，悪魔から三つの誘惑を受ける。悪魔が「神の子なら石をパンに変えてみよ」といえばイエスは「人はパンだけで生きるのではない」と答えた。エルサレムの神殿に連れていき屋根の上から「飛び降りてみろ。神が救ってくれる」といえば「神を試してはならない」と答える。最後に高い山頂にて「わたしを拝むならこの世のすべてを与えよう」という誘惑には「退けサタン。神である主を拝み，ただ主に仕えよ」と答え，悪魔を立ち去らせた。すると天使たちがきてイエスに仕えた。

洗礼

> **シンボル▶ 悪魔, サタン**　人間を誘惑し堕落させる神の敵。全身が黒い毛に覆われ，こうもりの翼や額の角，鉤型の脚などをもつなどグロテスクな見た目で描かれることが多い。サタンはヘブライ語の「敵」を語源とする堕天使で，蛇や竜の姿としても描かれる。

誘惑

カナの婚宴
Wedding at Cana

［新］ヨハネ 2:1-11

1502年頃／パリ（フランス）／
羊皮紙に活版, 木版, 手彩, ギルティング／西南学院大学博物館蔵

イエスの最初の奇跡はガリラヤのカナで起こった。婚宴に招かれたイエスは，母マリアと弟子たちと共に出席する。ぶどう酒がなくなったというマリアの言葉をうけ，イエスは六つの甕（かめ）に水をいっぱいにはるように召使いに言う。すると水はぶどう酒となった。これをみた弟子たちはイエスを信じるようになった。

🔍 宴の席で一番手前の人物がイエス，その隣でマリアがイエスを指し示している。カナの婚宴の場面を特徴づける六つの甕も，イエスに指示をうけた召使いが差し出す様子で描かれている。

カナの婚宴

ラザロの蘇生
Raising of Lazarus

［新］ヨハネ 11:1-44

イエスは病人を癒す（いや）などの奇跡を起こしたが，死者の復活の奇跡も行った。ベタニアにマルタと妹のマリア，そして弟のラザロがいた。ラザロが病死して四日後，イエスはマルタたちを伴ってラザロの墓を訪れる。墓をふさいでいた石を取り除かせると，イエスはラザロに起きるよう呼びかけた。するとラザロは蘇り（よみがえ），布にくるまれたままの姿で墓から出てきた。これを目撃したユダヤ人の多くがイエスを信じたが，このイエスの最後かつ最大の奇跡は，ユダヤ教の指導者たちにイエスの殺害を決意させたのだった。

🔍 墓をあける前に，聖書ではマルタが死臭を気にする様子が記されている。本資料ではそのことを表すように鼻や口を覆う（おお）人物の描写がみられる。

人物▶ マルタとマリア ラザロの蘇生以前，姉妹はイエスを家に迎え，姉のマルタは世話を焼き，妹のマリアはイエスの話を傾聴（けいちょう）した（ルカ10:38-42）。マルタは主婦の守護聖人でもあり，竜退治の伝説をもつ。マリアはマグダラのマリアとしばしば同一視される。

ラザロの蘇生

最後の晩餐
Last Supper

ルカ 20:7-23, ヨハネ 13:21-30

資料2　『福音書についての註解と瞑想』
「最後の晩餐」

エルサレムへとやってきたイエスは，過越祭の前に，弟子たちの足を自ら洗う。そして夕方になると，過越の食事の席に十二人の弟子と共についた。イエスはパンを手に取り，祝福し，それを裂いて弟子たちに与えると「これはわたしの体である」という。そして今度はぶどう酒の杯をとり祝福すると，弟子たちに与え「これは罪が赦されるように，多くの人のために流されるわたしの血，契約の血である」といった。そしてイエスは，弟子の一人が裏切ることを告げるのだった。

最後の晩餐の場面にはイエスと十二使徒が描かれるが，使徒のなかでもとくに区別して描かれるのは裏切り者のユダである。資料2に描かれたユダは，食卓左側の一番手前に座している。ユダは布の下に財布を隠し持っており，影の中には悪魔の姿もみられる。聖書には，イエスが浸したパン切れを裏切り者に渡すと言ったあと，それをユダが受け取るのだが，そのときサタンがユダの中にはいったと記されている。

最後の晩餐の場面でユダが強調されないこともある。『神曲』（資料6）の挿絵では，天国を巡るダンテとベアトリーチェの下に最後の晩餐の場面が描かれている。資料2とは異なり，どれがユダなのかは判然としない。一方，中心のイエスに寄り添う人物がヨハネであることは一目瞭然だ。聖書には，イエスのすぐ隣の席にはヨハネがい

資料6　『神曲』天国篇
1491年／ヴェネツィア（イタリア）／ダンテ・アリギアーエ／紙に活版，木版／西南学院大学博物館蔵

たと記されており，資料2の方でもイエスの左側にヨハネが座している。ヨハネが重視されて描かれているのは，挿絵に該当する本文（第25曲112-114行）がヨハネについて語っているためである。ヨハネは十二使徒のなかで最も若いため，髭のない美しい青年の姿でしばしば描かれ区別された。

ゲツセマネの祈り（オリーブ山での祈り）

Prayer in the Garden

［新］マタイ 26:36-46, マルコ 14:32-42, ルカ 22:39-46

資料7　『トリノ゠ミラノ時禱書』（複製）
「ゲツセマネの祈り」

原資料：1380-90, 1420年／フランス／ヤン・ファン・エイクほか／トリノ市立古典美術館蔵

　最後の晩餐後，イエスはオリーブ山の麓のゲツセマネの園にペトロとヤコブ，ヨハネを連れてくる。死を目前にしたイエスは悲しみもだえ，弟子たちに起きて祈るようにいう。少し離れたところで汗を血のように滴らせて祈るイエス。しかし弟子たちは三度起こされ注意されても，誘惑に負け居眠りをしてしまうのだった。

🔍 　眠る弟子の姿は誘惑に弱い人間を表している。本資料では祈るイエスのそばに杯が描かれているが，これは「この杯をわたしから過ぎ去らせてください」（マタイ26:39）という聖句に由来する。左奥には，このあとイエスが逮捕される場面を想起させるように武器をもった人々が小さく描かれている。

　下部の挿絵には，逮捕後にイエスを待ちうける鞭打ちや十字架を負わされる受難の様子が描かれている。

人物 ▶ イスカリオテのユダ

　使徒のなかで会計を担当し，ユダヤ教の祭司長に銀貨30枚でイエスを売り渡した。そのためユダのアトリビュートは財布（袋）である。

　ユダは武器をもった兵士たちをイエスのもとに引き連れてくると，イエスが誰であるかを示すために，彼に接吻をして合図し，逮捕させた（ユダの接吻）。イエスの死刑判決後，後悔したユダは報酬を祭司長に返そうとするが拒否される。ユダは報酬の銀貨を神殿に投げ込んだのち，首つり自殺をする。

資料8　『ヴェリスラフ聖書』（複製）
「ユダの接吻」（部分）

原資料：14世紀前半／羊皮紙／チェコ国立図書館蔵

受難
じゅ なん
Passion of Jesus

［新］マタイ 26:57-27:31, マルコ 14:53-15:20
ルカ 22:54-23:31, ヨハネ 18:12-19:17

　ユダの裏切りによりイエスは逮捕された。弟子たちはみなイエスを見捨てて逃げて
しまう。連行されたイエスは最高法院で裁判を受ける。そこで「お前は神の子なの
か」という問いに「あなたの言う通りである」と答えたため，神を冒涜したとして衣
を裂かれる。居合わせた人々はイエスを死刑にすべきだと叫び，イエスに唾を吐きか
け殴り打った。

　イエスは総督のピラトに引き渡されたが，ピラトはイエスに罪を見出さなかった。
過越祭では罪人が一人釈放される慣例があり，ピラトは極悪人バラバとイエスのどち
らを釈放するかを集まった人々に尋ねる。すると人々は大声で，バラバを釈放しイエ
スを「十字架につけろ」と叫ぶのだった。

▌▌ 鞭打ち むち Flagellation

　総督ピラトは極悪人バラバを釈放し，イエスを鞭で打たせてから十字架につけるた
め引き渡す。

🔍 　聖書では，イエスの鞭打ちの記述は「イエスを鞭打って」（マタイ27:26）とあ
るだけだが，鞭打ちは肉体的な苦痛をうける受難の情景として数多く図像化された。
資料2のように，鞭打ちの場面は円柱に縛り付けられたイエス，鞭を打つ拷問者たち，
見物する人々といった諸要素で構成されることが多い。資料9は小型のイコンで，携
帯用の礼拝画とし
ても活用されてい
た。中央の人物の
顔は剝落している
が「IC XC」の略字
があることからイ
エスだとわかる。
受難の苦しみを伝
える鞭打ちの場面
はイコンでも頻繁
に描かれる。

資料9　キリストの鞭打ち
ロシア／木製, 着色／西南学院大学博物館蔵

◀資料2　『福音書について
の註解と瞑想』「鞭打ち」

茨の冠 Crown of Thorns

鞭打ちの後、兵士たちは総督官邸にイエスを連れてくると、部隊の全員を呼び集めた。そしてイエスの衣をはぎ取り、かわりに赤い外套を着せ、茨で編んだ冠を被せた。葦の棒をもたせたイエスに兵士たちは敬礼し「ユダヤ人の王、万歳」と侮辱する。イエスは唾を吐きかけられ、葦の棒で頭を叩かれた。

イエスが着せられた赤い外套は王に見立てて侮辱するためだったが、同じように高貴な色とされる紫の服を着せられる場合もある。『福音書についての註解と瞑想』（資料２）の挿絵に記されたアルファベットは下部の解説と対応しており、瞑想の手助けとなる工夫が施されている。そのため、本資料のように連行されるイエス（A）や茨の冠をつけられるイエス（C）といったように同一人物が複数回登場することも珍しくない。

資料２ 『福音書についての註解と瞑想』「茨の冠」

十字架を負う Bearing of the Cross

外套を脱がされ、元の服を着せられたイエスは十字架につけられるために引かれていく。イエスは十字架を背負い、ゴルゴダ（ヘブライ語で「されこうべの場所」）へと向かう。民衆や嘆き悲しむ婦人たちが大きな群れとなってイエスに従った。

ヨハネの福音書ではイエスは自ら十字架を背負ったとあるが、ほかの福音書ではキレネ人のシモンという人物がイエスに代わって十字架を担ぐ。本資料ではイエスが十字架を担いでいる。ベツレヘムの門（C）の奥には、イエスと共に処刑される予定の二人の罪人が十字架を背負い、右上のゴルゴダの丘を目指している。

資料２ 『福音書についての註解と瞑想』「十字架を負う」

磔刑
たっけい

Crucifixion

［新］マタイ 27:32-56, マルコ 15:22-41
ルカ 23:32-49, ヨハネ 19:18-37

　ゴルゴダについたイエスは兵士たちに服をはぎ取られ，二人の罪人と共に十字架に
つけられる。昼からあたりは暗くなり，三時頃にイエスは「エリ，エリ，レマ，サバ
クタニ（わが神，わが神，なぜわたしをお見捨てになったのですか）」と大声で叫び，
また「わたしは乾く」とも言った。そして「成し遂げられた」という言葉を最後に，
イエスは頭を垂れて息を引き取る。すると神殿の天幕は裂け，地震が起こり，岩が裂
けた。この出来事に人々は「本当に，この人は神の子だった」と恐れ，神を賛美した。

資料10　磔刑
18世紀／フィリピン／木製，
着色／西南学院大学博物館蔵

資料2　『福音書について
の註解と瞑想』「磔刑」

　　磔刑はキリスト教美術のなかでも重要な主題である。磔刑はイエスが人の罪
あがな
を贖う救世主であることを象徴する。そのため，磔刑像や十字架は教会などの重要な
部分に飾られ，キリスト教のシンボルとなっている。
　磔刑の場面は，磔にされるイエスを中心にさまざまな事柄や要素が登場する。資料
はりつけ
10では，十字架に手足を釘でうちつけられて項垂れるイエスの脇腹から血が流れてい
うなだ
る。脇腹の傷は，十字架から降ろす前にイエスの死を確認するため槍で突かれてできた
たもので，血と水が流れでたという。本資料ではさらに茨の冠による額からの流血や
身体中にみられる鞭打ちの跡を描くことで，受難による苦痛をより強調している。
　聖書によると，刑場には聖母マリアをはじめとするイエスに従う婦人たちや弟子の
ヨハネがおり，イエスは息を引き取る前にヨハネにマリアを託す言葉をかけている

（ヨハネ 19:26-27）。そのため磔刑のイエスの足元には，イエスからみて右側に聖母マリア，左側にヨハネが描かれ，資料10のようにマグダラのマリアが十字架にすがりつく姿もしばしばみられる。

　資料 2 では，イエスの左右に磔にされているのは二人の強盗（F）で，イエスの左側にはイエスを罵る悪い罪人，右側にはそれをかばう善い罪人が描かれている。このように善悪が分かれる場合，聖句の「羊を右に，山羊を左に置く」（マタイ25:33）に由来して，画面左側（イエスからみて右）に善や天国を，画面右側（イエスからみて左）に悪や地獄が配置される。ほかにも左下にはイエスの服をかけてくじ引きする兵士（D）や，酸いぶどう酒を含ませた海綿を葦の棒につけてイエスにさしだす兵士（M）などが描かれている。

　イエスが死を迎えるとき，昼にもかかわらず全地が暗くなったことを表すように，両資料では暗い背景に太陽が描かれている。また，資料10では聖書の記述にはない月や星の要素が加えられている。

シンボル▶ **INRI**　イエスの十字架につけられた罪状書き。ラテン語の「ナザレのイエス，ユダヤ人の王」（*Iesus Nazarenus Rex Indaeorum*）の頭文字をとったもの。

復活
Resurrection

［新］マタイ 27:57-28:15, マルコ 15:42-16:8
ルカ 23:50-24:12, ヨハネ 19:38-20:10

　イエスはアリマタヤのヨセフとニコデモにより埋葬された。それから週の初めの日の明け方に，マグダラのマリアたちは墓を訪れた。すると天使が現れ，イエスはすでに復活していると告げられる。

🔍 ………………………………………
　イエスの復活を目撃したものはおらず，各福音書でも復活の場面の詳細は異なる。本資料では，香料を携え墓を訪れる婦人たち，空の棺を示す白い衣の天使，墓から出るイエスが描かれている。イエスの復活の様子は隔たれた時間の出来事として，婦人たちがイエスに気付く様子はない。またイエスがもつ赤い十字架の幟は死への勝利を象徴する。眠る兵士たちは，イエスの弟子たちが遺骸をもちさることでイエスが復活したのだと吹聴させないために墓を見張っていた番兵である。

資料 7 　『トリノ＝ミラノ時禱書』（複製）
「キリストの復活」（部分）

昇天
Ascension

［新］マタイ 28:16-20，マルコ 16:9-20
ルカ 24:13-53，ヨハネ 20:11-29，使徒 1:6-11

資料7 『トリノ゠ミラノ時禱書』（複製）
「キリストの昇天」（部分）

復活したイエスは四十日間地上にとどまり，弟子たちの前に姿を現し，彼らに教えを授けた。イエスは弟子たちに布教活動をするように告げ，聖霊による洗礼を約束する。

使徒たちが見守るなか，イエスは天へと昇り雲間に消える。すると二人の天使が現れ，イエスの再臨を告げた。

🔍 本資料では，昇天するイエスの姿は雲間に消える足元のみで表現されている。聖書には，昇天の場に聖母マリアがいたという記述はないが，マリアが教会の象徴とされることから，地上に残される教会のシンボルとして描かれることが多い。

聖霊降臨
Pentecost

［新］使徒 2:1-42

イエス復活から五十日後，一堂に会した使徒たちは，天から激しい風が吹くような轟音を聞く。そして，舌の形をした炎が現れてそれぞれの上にとどまった。イエスの約束どおり聖霊に満たされた使徒たちは，布教のために異国の言葉を語れるようになるのだった。

🔍 本資料では，画面上部に描かれた三位一体から炎の舌が使徒たちに降り注いでいる（F）。聖霊降誕の場面にも聖母マリアがいたとする記述はないが，最も祝福されたものとして中央に座し（D），キリスト教会の成立を象徴している。

資料2 『福音書についての註解と瞑想』
「聖霊降臨」

第 II 章
聖母マリア

　キリスト教そしてキリスト教美術においても重要な人物である聖母マリア。だが聖書ではマリアに関する記述は少なく，実在したであろうマリアという女性の実態についても謎に包まれている。そのためマリアは聖書外典や聖人伝などで多く語られた。

　『マタイによる福音書』は，イエス・キリストの系図ではじまる。父祖アブラハムからはじまり，ダビデ王，そしてマリアの夫ヨセフに続く。しかしヨセフはイエスの実父にはあたらないため，ヨセフ経由でイエスがユダヤの王の血を引いているとはいいがたい。だが聖書では，イエスはダビデの家系であることを繰り返し証言する。この問題に関してマリアの血筋が語られる。

　マリアの父はヨアキムという。ヨアキムはダビデ王の二人の子ナタンとソロモンのうち，ナタンの家系に属していた。そのためマリアはダビデ王の血筋にあたるのだ。

　また，マリアの母はアンナという。アンナの姉妹の娘にはエリサベトがおり，このエリサベトは洗礼者ヨハネの母親にあたる。そのためイエスとヨハネは親戚関係となる。

　こうしたマリアの生まれや生涯，マリアにまつわる奇跡や伝説などは，外典や神学者たちによる議論といった公的なものから民衆に語られる伝承まで，時代や地域でさまざまに語られ，それにもとづく聖母マリアの美術が数多く生み出されたのだった。

みとくポイント!　　　　　**外典（アポクリファ）**　　　　　　　　　●

　聖書を正典とするのに対し，聖書に採用されなかった諸文章を外典という。聖書の正典は5世紀以降，宗教会議を通して認められていき，旧約は39巻，新約は27巻で構成されている。旧約外典は宗派によって扱いが異なる。新約外典は数多く存在し，大半が2〜5世紀に成立したものとされる。聖母マリアにまつわる重要な外典には『ヤコブ原福音書』などがある。

聖母マリアの生涯

資料11 『聖母伝』（複製）

原資料：1511年／ニュルンベルク（ドイツ）／アルブレヒト・デューラー／書冊、木版／スペイン国立図書館、バイエルン州立図書館蔵
16世紀のドイツの画家デューラーによる聖母の生涯に関する一連の木版画が詩と共に収められた印刷本。

少女

　長い間，子に恵まれなかったヨアキムとアンナのもとに天使が訪れ，子が生まれることを告げられる。お告げ通りに女の子が生まれ，彼女はマリアと名付けられた。
　裕福な家庭で育てられたマリアが3歳になり乳離れすると，両親はマリアを神に捧げて奉仕させるために，エルサレムの神殿へと／

母親

　マリアが14歳のとき，大天使ガブリエルが彼女の前に現れて受胎告知をする。聖霊によって身籠（みごも）ったマリアは，親戚のエリサベトを訪ねユダの町へ行き，しばらく滞在した。
　ナザレへ帰ったマリアが妊娠六カ月の頃，ヨセフが仕事から帰り，二年ぶりに再会する。ヨセフはマリアの妊娠に驚き，マリアの不貞を非難し，恐れ，離縁しようとする。しかし夢に現れた天使が，マリアは聖霊によって男児を身籠ったのだと告げる。ヨセフはマリアを引き続き保護するが，マリアの妊娠が祭司たちに発覚してしまう。姦通（かんつう）を／

受胎告知

天の女王

　拷問を受けた我が子が，十字架を背負わされ丘を登り，磔（はりつけ）にされ，息を引き取る場にも居合わせたマリアの悲しみは深い。イエスからヨハネに託されたマリアは，ヨハネの家に引き取られる。
　イエスが復活し，昇天したのち，聖霊に満たされた使徒たちは伝道のために各地へと散らばった。マリアはシオンの丘のそばの家で余生を過ごす。イエスのゆかりの地を巡りたいと思いながらも，イエスのいない日々を生きることが耐え難くなり，マリアは涙を滝のようにあふれさせた。／

聖母との決別

＼連れていく。神殿の祭壇につづく十五段の階段の一段目に足をかけたマリアは，一人前のおとなのように階段を一人で登り切るのだった。

　12歳まで，神殿で神に奉仕する生活を送ったマリアは，天使のお告げに従いヨセフと婚約しナザレで暮らす。

マリアの誕生

マリアの神殿奉献

＼疑われたマリアとヨセフは神明裁判にかけられる。試罪の水を飲まされたヨセフとマリアは山へ送られるが，無傷で帰ってきたことにより神の証明がなされ，無罪となった。

　アウグストゥス帝が発令した人口調査のため，ヨセフは身重のマリアをロバに乗せて，住民登録をするためにベツレヘムの町へと向かう。その途中で産気づいたマリアは，神の子イエスを出産するのだった。そして立派な青年へと育ったイエスは伝道活動をはじめた。

エリサベト訪問

＼すると，マリアのもとに天使が訪れた。天使はマリアに三日後にイエスが迎えにくることを告げる。そうしてマリアは使徒たちに見守られながら，イエスによって天に迎えられその生涯を閉じた。のちに肉体も復活し完全な昇天を果たす。

聖母の死

聖母の被昇天

マリアの誕生

Birth of the Virgin

［外］ヤコブ 1-5
黄金伝説 125

資料7　『トリノ＝ミラノ時禱書』（複製）
「聖母の誕生」（部分）

裕福な老夫婦のヨアキムとアンナには子がいなかった。あるときヨアキムはエルサレムの神殿に供物を捧げようとするが，子がいないことを理由に拒まれる。悲しんだヨアキムは家には帰らず荒野へいき，四十日間の断食を羊飼いのもとで行う。すると天使が現れて，娘が生まれること，エルサレムの黄金の門でアンナに会うように告げられた。一方，ヨアキムが帰らぬことを嘆くアンナのもとにも天使が現れ，ヨアキムと同じ内容が告げられる。そうして二人は黄金の門で再会し，懐胎の喜びを胸に家へと帰った。天使のお告げ通りにアンナは女の子を生み，女の子はマリアと名付けられた。

　時禱書とは，平信徒の私的な祈りのための祈禱書の一種で，王侯貴族が注文生産する絢爛豪華なものから小型の印刷本などさまざまである。本資料は，14世紀のフランス王弟ベリー公ジャン1世による特注の装飾写本で，28点の細密画（ミニアチュール）は，フランドル派の画家ヤン・ファン・エイクらが手掛けている。

　マリア誕生の場面では，助産婦たちに世話をされるアンナと産湯をする幼子マリアが描かれている。本資料のように，イエスやマリアが生きた時代ではなく，制作された時代の風習や服飾を反映した当世風の表現方法は，キリスト教美術ではよくみられる。

　下部には，マリア誕生の前日譚となるヨアキムとアンナの物語が描かれている。中央の挿絵入りのイニシアル（文頭装飾文字）には天使がおり，その下に描かれたヨアキムにお告げをつげている。同じ画面の右側には，黄金の門で再会するヨアキムとアンナの姿がある。

みとくポイント！　　　　　**異時同図法**　　　　　●

　資料7のヨアキムとアンナの物語のように，同じ画面や構図のなかに複数の場面が描かれることがある。同じ登場人物が複数回登場し，時間の推移を表したり物語を展開させたりする表現方法を異時同図法という。

結婚
Betrothal of the Virgin

[新]マタイ 1:18-25
[外]ヤコブ 7-9
黄金伝説 125

資料11　『聖母伝』（複製）
「マリアの結婚」

マリアが3歳になると，両親は供物を携えエルサレムの神殿へと連れていく。夫婦は，神から子宝を授かったら，神に仕える者として捧げることを誓約していたのだ。

12歳のとき，祭司長がマリアの結婚について神意をたずねると，天使が現れてこう告げた。「国中の寡夫（かふ）に一本の杖を祭壇へささげさせ，その杖の先に花が咲き，聖霊の鳩が舞い降りた者を婚約者としなさい。」

そうしてヨセフの杖にしるしが現れた。ヨセフは，すでに子どもがおり高齢でもあることから笑い者になるのを恐れてこれを断るが，神の命であるため，マリアを婚約者として迎えいれた。それからヨセフは仕事のため二年ほど家を留守にする。

本資料では，ヨセフとマリアが司祭により手を繋（つな）がれている様子が描かれている。これは成婚を示す動作で，ときにヨセフは花が咲いた杖をもつこともある。

人物▶ ヨセフ

マリアの夫でありイエスの養父。職業は大工。

聖書では，イエスの誕生から幼少時代の各場面「ベツレヘムへの旅」「降誕」「神殿奉献」「エジプトへの避難」「神殿での少年イエス」などで登場する。

イエスが十字架にかけられたとき，弟子のヨハネにイエスがマリアを託したことから，このときすでにヨセフはいなかったと考えられ，イエスの宣教活動でも登場しないことからイエスの洗礼以前に他界しているとされる。

幼子イエス，マリア，ヨセフは理想的な家庭の姿として「聖家族」という主題で表現されることもある。デューラーの「エジプトでの聖家族」（右図）は，エジプトに避難していた七年間の生活が示された聖家族のなかでも珍しい事例である。

資料11　『聖母伝』（複製）
「エジプトでの聖家族」

受胎告知
Annunciation

［新］ルカ 1:26-38
［外］ヤコブ 11-12

　マリアが14歳のとき，ナザレの町にいるマリアのもとに，大天使ガブリエルが神から遣わされた。天使はマリアに「おめでとう，恵まれた方。主があなたと共におられる。」と告げる。戸惑うマリアに，さらに天使は，マリアが男の子を身籠ること，そして生まれたらイエスと名付けるように言う。まだ婚約中で，男の人を知らないのにどうしてそのようなことが起こるのかと驚くマリア。天使は「聖霊があなたに降り，いと高き力があなたを包む。そうして生まれる子は神の子と呼ばれる。神にできないことは何一つない。」と告げる。最後にマリアは「わたしは主のはしためです。お言葉どおり，この身になりますように。」と受け入れた。

資料12　時禱書零葉「受胎告知」
1500年頃／ヨーロッパ／羊皮紙に活版，彩
色，メタルカット／西南学院大学博物館蔵

　聖霊によってマリアがイエスを懐胎（かいたい）する出来事は，神が人を救済するために神の子イエスを遣わし，イエスが人としてマリアから誕生したという考え方に結び付く重要な主題となる。5世紀の宗教会議（431年エフェソス公会議）で，イエスは神と人の両方であり，マリアは「神の母」という特別な人間であると定義された。資料12の受胎告知の挿絵では，マリアが神の母であることの象徴として，マリアの座る椅子が玉座として描かれている。
　受胎告知の場面は，大天使ガブリエルと聖母マリアを中心に構成され，聖霊は鳩として表されてマリアに降りていく。ときに聖霊をマリアに向かわせる神が描かれることもあ

る（資料7）。

　本主題でとくに用いられるモチーフのひとつに百合(ゆり)がある。百合はガブリエルが花，あるいは先端が百合の紋章になっている笏(しゃく)を手に持っていたり，壺や花瓶に活けられていたり，室内装飾の模様として登場したりする。白百合はマリアの純潔を象徴し，マリアが処女のままイエスを懐胎したことを表す。

　情景描写としては，読書中のマリアのもとに天使が訪れるという表現も多い。マリアのそばにある本は旧約聖書で，このときマリアは『イザヤ書』（7：14）を読んでいたとされる。そこには「見よ，乙女が身ごもって，男の子を産む」という，イエスの誕生を予告するような内容が記されている。

資料7　『トリノ＝ミラノ時禱書』（複製）「受胎告知」（部分）

シンボル▶ 百合

　聖母マリアの花としてよく登場する。白百合はマリアの純潔無垢(むく)，処女性を象徴する。聖母マリア，大天使ガブリエルなどのアトリビュート。

　百合は薔薇(ばら)とともに天国の花のひとつで，球根から芽が毎年出ることから再生や不滅，永遠の命のシンボルでもある。

　イエスと関連づけられるときは，赤い百合は受難を，最後の審判で剣とともに登場するときは霊的な権能などを象徴する。

みとくポイント！　　　　タイポロジー

　キリスト教の考えに，旧約聖書の記述や人物は，新約聖書の事柄を予告しているという予型論的解釈（タイポロジー）がある。そのため美術でも，旧約聖書の主題と新約聖書の主題を対応させたり，新約聖書の場面に旧約聖書の事柄が描かれていたりする場合がある。

エリサベト訪問

Visitation

[新] ルカ 1:39-56
[外] ヤコブ 12

資料13 『エステ家アルフォンソ
1世の聖務日課』（複製）「エリサベト訪問」

原資料：1505-10年頃／フェッラーラ（イタリア）／羊皮紙に彩色／
カルースト・グルベンキアン財団博物館，ストロスマイヤーギャラリー蔵

マリアはユダの町にいる従姉妹のエリサベトを訪ねる。マリアの挨拶を聞いたとき，エリサベトの胎内の子が踊った。マリアは賛歌を唱え，エリサベトのもとに三カ月滞在する。

🔍 ……………… 教会で執り行われる日々の祈りを聖務日課といい，その典礼書を聖務日課書という。聖務日課書は聖職者用のものだが，資料13のように王侯貴族の注文生産による挿絵装飾入りの豪華な写本も制作された。本資料のエリサベト訪問の場面では，老女エリサベトとマリアが抱擁している。エリサベトは夫ザカリアとの間に子がいなかったが，天使に懐妊を告げられて妊娠した経緯がある。帽子を脱ぐ仕草をしているのがザカリアで，天使のお告げを信じなかったため ヨハネ が生まれるまで口が利けなくなっている。

人物▶ 洗礼者ヨハネ

イエスに洗礼を授けた聖人。

ヨハネは荒野で修行をしていたため，長い髪に伸びた髭，素足のやせた男性としてよく描かれる。ヨハネのアトリビュートには，らくだの毛皮や荒野の食べ物であるイナゴや蜂の巣，子羊，葦の細い十字杖，洗礼を授ける杯などがある。

洗礼者ヨハネの誕生については，イエスと同じように聖書に記されている（ルカ1:57-80）。マリアの訪問はエリサベトが妊娠六カ月のときで，そののちヨハネが誕生する。割礼のとき，ザカリアは板に「この子の名はヨハネ」と書いて子を名付けると，たちまち口が利けるようになった。

資料7の「洗礼者ヨハネの誕生」の細密画はヤン・ファン・エイクによるものとされる。唯一，光輪をもつ赤子がヨハネだ。部屋の右側奥には，本を開くザカリアの姿が描かれている。また，ページの下部には，父なる神が鳩を送り込む先にイエスの洗礼の場面が描かれている。

資料7 『トリノ=ミラノ時禱書』（複製）
「洗礼者ヨハネの誕生」

神殿奉献
Presentation in the Temple

[新]ルカ 2:22-40

資料7　『トリノ゠ミラノ時禱書』（複製）
「神殿奉献」（部分）

イエスを出産してから四十日後，マリアは律法に従って産後の汚れの清めと，初子を神に捧げるため，ヨセフと共にイエスをエルサレムの神殿へと連れていく。

エルサレムにはシメオンという老人がおり，彼は救世主に会うまでは死ねない定めを聖霊から告げられていた。聖霊に導かれたシメオンは，神殿で幼子イエスとマリアたちに出会う。イエスを抱いて神を讃えたシメオンは，イエスが救い主であることを預言する。そしてマリアにイエスの受難の運命を告げ，そして「あなた自身も剣で心を刺し貫かれます」と予告する。

本資料は，幼子イエスを抱いた聖母に画面右側の老人シメオンが預言をしている場面である。画面左側の老人は供物の鳩をもつヨセフで，その後ろにいる女性は，救いを待ち望む人々に幼子イエスのことを伝えた女預言者アンナである。アンナがもつ蠟燭は「異邦人を照らす啓示の光」（ルカ 2：32）というシメオンの預言に由来する。母親の懐へ戻りたがる様子をみせるイエスの下にある祭壇は，イエスが人類のための犠牲になることを暗示する。

シンボル▶　**心臓，心**

愛や強い信仰心の象徴。イエスの心臓は「聖心」，マリアの心臓は「清心」として崇敬され，それぞれ特徴のある心臓で表現される。

イエスの聖心は，十字架や茨の冠などをともない，愛の炎で燃えている。ときに傷口があり，流血している場合もある。

マリアの清心もまた愛の炎で燃え，シメオンの預言に由来する剣が突き刺さっている。ときに薔薇冠や百合の花をともなう。

資料14　不思議のメダイ▶
1854年／フランス／青銅／西南学院大学博物館蔵
左がイエスの心臓，右がマリアの心臓

悲しみの聖母
Our Lady of Sorrows

　聖母崇敬のひとつに「マリアの七つの喜び
と悲しみ」がある。それはマリアの生涯を，
七つの喜びの出来事と七つの悲しみの出来事
で表す。

▶七つの喜び
（1）お告げ（受胎告知）
（2）エリサベト訪問
（3）イエスの降誕
（4）東方三博士の礼拝
（5）シメオンとの出会い（神殿奉献）
（6）神殿での少年イエスの発見
（7）マリアの戴冠（聖母被昇天）
▶七つの悲しみ
（1）シメオンの預言
（2）エジプトへの避難
（3）神殿でイエスを見失い，三日間捜した
　　出来事
（4）十字架の道を歩むイエスとの出会い
（5）イエスの十字架のもとにたたずむマリア
（6）イエスの遺体を十字架から引き降ろし
　　たこと
（7）イエスの埋葬

資料15　悲しみのマリア
18世紀／フィリピン／木製，
着色／西南学院大学博物館蔵

　とくに，悲しみと苦しみの受難をイエスと
共に分かち合ったとする聖母への人々の信心
はあつく，悲しみの聖母像が数多く制作され
た。図像では，神殿奉献，エジプトへの避難，
十字架の道行き，磔刑，十字架降下，埋葬，
昇天の一連の主題が「七つの悲しみ」を構成
する。

資料13　『エステ家アルフォンソ
　　　1世の聖務日課』（複製）「磔刑」

マーテル・ドロローサ　Mater Dolorosa

　「悲しみの聖母」を意味するマーテル・ドロローサは，頭を垂れて涙したり，合掌したりするマリアの上半身像をとくにいう。資料15の悲しみのマリアは，口を引きむすび目をふして手を組み合わせている。マーテル・ドロローサで特徴的なのは，マリアの胸に突き刺さる剣である。これはシメオンの預言「あなた自身も剣で心を刺し貫かれます」（ルカ2:35）に由来する。ときに七本の剣がマリアを取り巻く場合もあり，これはマリアの七つの悲しみを示している。

スタバト・マーテル　Stabat Mater

　「聖母はたたずむ」という意味のスタバト・マーテルは，磔刑のイエスの下で悲しみ沈む聖母を表現したもので，磔刑の図像の一要素ともなる。また，マリアだけなく諸聖人も共に表される。資料13の磔刑では，イエスが磔になった十字架のもとに，マリア，マグダラのマリア，ヨハネがいる。イエスに対してマリアたちは不釣り合いに大きく描かれており，その歪んだ表情や仕草は悲しみを強調して表現されている。

ピエタ　Pieta

　「慈悲，敬虔，哀れみ」を意味するピエタは，資料16のメダイに彫り描かれているような，十字架から降ろされたイエスの亡骸を膝に抱いて嘆き悲しむ聖母の図像を主にいう。聖書に場面の記述はないが，イエスの十字架降下から埋葬の間に起こった出来事として表現される。
　メダイとは信仰具のひとつで，身に付けたり携帯する金属製の小さなメダルのことをいう。

資料16　ピエタのメダイ
17世紀／青銅／西南学院大学博物館蔵

人物▶ マグダラのマリア

　ガリラヤ湖畔のマグダラ出身の聖女。イエスによって七つの悪霊が追い出され，病を癒してもらった（ルカ8:2）。イエスの弟子として同行し，磔刑や埋葬，復活に立ち会う。
　マグダラのマリアは，髪でイエスの足をぬぐい香油を塗った「罪深い女」（ルカ7:39-50）や，ラザロの姉妹マリアと同一視されることも多い。
　アトリビュートには香油壺，十字架像や頭蓋骨などがある。

資料16　ピエタのメダイ▶
マグダラのマリアとアトリビュートの十字架像と頭蓋骨

聖母の被昇天
Assumption of Mary

資料7　『トリノ゠ミラノ時禱書』（複製）
「聖母被昇天」

　マリアが60歳（あるいは72歳）の頃，シオンの丘で余生を過ごしながらイエスを想い泣いていると，天使が棕櫚_{しゅろ}の枝を携え現れた。天使はマリアに三日後に迫った死を告げる。マリアは死ぬ前に使徒たちに会いたいと願った。すると伝道のため各地に散らばっていた使徒たちが，白い雲にのってマリアのもとに集った。

　使徒たちに見守られるなか，マリアが臥_ふしていると，イエスが天の軍勢を従えて現れた。イエスはマリアに「たぐいない母上，あなたにわたしの玉座の飾りをお着せするためにまいりました」といい「冠をお受けください」と告げる。「みこころのままに」と答えたマリアは，死の苦痛を感じることなく魂が肉体から離れ，イエスの腕にとびこんだ。イエスは使徒たちにマリアの遺体を埋葬するようにいい，三日後の来臨を告げる。

　三日後，マリアをヨシャパテの谷の墓に埋葬した使徒たちのもとに，大勢の天使をつれたイエスが現れる。大天使ミカエルがマリアの魂をもってくると，イエスが復活したときのように，魂が肉体にはいりマリアは復活する。そして墓から大勢の天使にともなわれて天にのぼっていった。

🔍 ……………………………………………………………………………………………

　本資料の聖母被昇天の場面は，聖母戴冠の細密画がメインとなっている。画面は昇天を想起させるように下から上にむかって展開されている。下部の挿絵には聖母の死が描かれており，寝台のマリアを十一人の使徒が取り囲んでいる。マリアの顔は異様に白く，すでに息を引き取っていることがわかり，使徒たちの顔は悲しみに歪んでいる。使徒のなかで一人だけ左側に外れているのはトマスである。彼はマリアが墓から復活して昇天する場に居合わせていなかったため一連の出来事を信じていなかった。トマスはイエスの復活のときもこれを信じず，イエスの釘跡や脇腹の傷に指をいれたことがある（不信のトマス）。イニシアルには昇天するマリアと天使が描かれており，疑うトマスに腰帯を渡している。これが肉体のままマリアが昇天したという証拠となった。

聖母の戴冠
Coronation of the Virgin

マリアは天国に迎えられた。戴冠した聖母は栄光の玉座，永遠に世を統べるキリストの右に座す。

🔍 本資料でデューラーは，聖母の被昇天と戴冠を同一画面で表している。下部には空の棺とその周りに使徒たちを配置し，上部では雲の上でマリアが三位一体によって戴冠される情景を展開している。棺の手前にはマリアの遺体を運んだカートがあり，地上での現実性と天上での非現実性が印象的に対比されている。三位一体を表すとき，父なる神からみて右側に子なる神イエスを配置するのが基本で，本図もそれに則っている。

前ページの資料7での聖母戴冠では，天上であることを表すために雲ではなく星空が背景と

資料11　『聖母伝』（複製）
「聖母の被昇天と戴冠」

なっており，マリアたちが座す玉座は天使によって支えられ浮いている。玉座の左側には敬虔な仕草で冠を授かるマリアと，右側には初老のキリストが右手で祝福しながらマリアの頭に冠をのせている。

アトリビュート▶ 棕櫚

棕櫚の枝は天国の生命の木を示し，勝利と正義を象徴する。死への勝利を意味することから殉教者のアトリビュートともなった。

聖母が死の告知の際，天使から受け取った棕櫚の枝は，その後ヨハネに託された。そのためヨハネのアトリビュートでもある。

棕櫚の枝を持つヨハネ▶

無原罪の御宿り
Immaculate Conception

資料17　無原罪の御宿りのメダイ
1854年／イタリアもしくはフランス／
青銅／西南学院大学博物館蔵

　　無原罪の御宿りとは，聖母マリア
が原罪の汚れなく誕生したとするカ
トリック教会の教義。すべての人間
はアダムとイヴが犯した原罪を負っ
て生まれてくる。しかし，イエスは
聖霊によってマリアの胎内に宿った
ため原罪に汚されることはなかった。
そしてマリアも，神とキリストから
の特別な計らいと救いの恵みで，原
罪の汚れから保護された状態で母ア
ンナに宿ったとされた。

　聖母マリアは罪なく誕生した。この「ない」という状態を表現するのは難しく，
無原罪の御宿りのマリアはさまざまな象徴で意味づけされた。

　資料17のメダイは，無原罪の御宿りが教義として認可されたことを記念して鋳造さ

れたもの。そのためメダイの裏には，勅令をだした教皇ピウ
ス９世の名前とその年である1854年，そしてローマ教皇が
いるカトリック教会の総本山サン・ピエトロ大聖堂が刻
まれており，表面には無原罪の御宿りの聖母が彫り
描かれている。マリアは胸に手をあて頭上には星の
冠，足元には蛇を踏みつけている。

　　無原罪の御宿りの図像で，マリアは星の冠をいた
だき，太陽をまとい，足元に月をおく。この表現は
『ヨハネの黙示録』に登場する女性（資料19）とマリ
アが同一視されることに由来する。黙示録の女性は
「身に太陽をまとい，月を足の下にし，頭には十二の
星の冠をかぶっていた。」（黙12:1）出産の苦痛に叫ぶ
この女性の前に赤い竜が現れて，生まれてくる男児
を食べようとする。無事に出産した女性は神に保護
され，人類の敵である竜（サタン）は大天使ミカエル
によって退治された。ここでの太陽はキリストを，
足元の月は聖人たち，十二の星の冠は十二使徒，産ん

◀資料18　無原罪の御宿りの聖母像
18世紀／フィリピン／木製，着色／西南学院大学博物館蔵

だ子はキリストと真の信仰者
たちだとも解釈される。無原
罪の御宿りをはじめとして，
マリアとともに表される月は
マリアの純潔と母性も象徴す
る。

　マリアに踏みつけられる蛇
は，人間を誘惑し原罪を犯さ
せた蛇であり，すなわち悪魔
を象徴する。蛇を踏みつける
行為は，マリアが罪に勝利し
ていることを表す。

資料19　『ゲティの黙示録』（複製）
「女と竜」（部分）
原資料：13世紀半ば／イギリス／J.ポール・ゲティ美術館蔵

　無原罪の御宿りのマリアが
いる場所は天上であることが多い。資料18ではマリアの台座に天使や雲を彫ることで，
背景がなくとも舞台が天上であることを表現している。

　マリアはほとんどの図像で，慈愛を意味する赤い衣に，天を象徴する青いマントと
ヴェールを身にまとう女性として描かれる。しかし，無原罪の御宿りではとくにマリ
アの純潔無垢さが重要となるため白い衣を着ている場合も多い。資料18ではほとんど
剝落してしまっているが，白い衣に青いヴェールの着色痕がみうけられる。

■ ルドの聖母 Our Lady of Lourdes

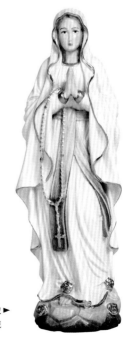

　1858年2月11日，フランス南西部の小都市ルルドに位置
するマサビエルの洞窟で，白いヴェールを被り，白い衣服
に青い帯を締めた女性が現れたのを，ベルナデット・スビ
ルーが目撃した。その後女性は7月16日までの間に合計18
回姿を表し，9回目の出現では洞窟から不治の病を癒す奇
跡の泉が湧きだした。そして16回目の出現で聖母であるこ
とが明かされ，その際聖母はベルナデットにルルドの方言
で「私は無原罪の御宿りです」と告げたという。

　　🔍 ‥‥‥‥‥‥‥‥‥‥‥‥‥‥‥‥‥‥‥
　　　資料20はルルドの聖母像で，白いヴェールを被り，
白い衣服に青い帯を締めた姿で作られている。また，出現
したのが洞窟であるためか，足元は岩肌のような意匠に
なっている。（栗田）

資料20　ルルドの聖母像▶
21世紀／イタリア／PEMA／木製，着色／西南学院大学博物館蔵

聖母子
Madonna and Child

幼子イエスを抱く母マリアの図像，つまり聖母子像は，キリスト教美術の代表的な存在のひとつといえるだろう。正教会では，聖母子のイコンは16の型の分類があるほどに豊富だ。なかでもエレウサ型（ギリシア語で「慈しむ人」の意味）といわれる聖母子のイコンでは，子に頬ずりをするマリアと母に抱きつくイエスの姿が描かれ，母子の愛情が表現されている。資料21のウラジーミルの聖母はこのエレウサ型の代表作とされる。マリアの表情はイエスの受難を憂いているとされ，母の慈愛や慈悲を感じさせる。

資料21　ウラジーミルの聖母（複製）
原資料：12世紀初頭／板, テンペラ／
トレチャコフ国立美術館

▮ 授乳の聖母　Nursing Madonna

マリアがイエスの母であることを強調するのが授乳の聖母だ。デューラーは『聖母伝』の扉絵に授乳の聖母（資料11）を選んだ。このマリアは，授乳という人間的な母親の行為をしつつも，黙示録に由来する象徴をまとい天上にあることでその聖性も表されている。

マリアの慈愛は信徒たちにも与えられた。イエスは血によって人間の罪を贖ったわけだが，マリアは乳を与えイエスを育てたことでその救済に参加する。授乳するマリアは神の救済にとりなす力を示すとされるのだ。資料7の聖母子は玉座に座し，マリアは天使によって冠を頭上に掲げられ権威ある姿で表されている。乳房をみせるマリアは，イエスにではなく手前に跪く崇拝者に乳を放っている。

左：資料11　『聖母伝』（複製）「聖母子」（部分）
右：資料7　『トリノ＝ミラノ時禱書』（複製）「讃仰者へ乳を与える聖母」（部分）

第 III 章
諸聖人

　聖人とは，殉教したり敬虔な生涯を送ったりして，信者から崇敬を受ける者たちのことである。カトリック教会をはじめとする聖人崇敬をおこなう教会（教派）では，ある信者の死後，その生涯や奇跡などの功績で聖人に認定する列聖というものがある。

　聖人は信仰生活の模範とされたり，神へのとりなしを期待されたり，起こした奇跡（例えば目を癒す，疫病を治すなど）ごとに祈願されたりする。聖人崇敬は中世から盛んになり，聖人の伝承を集めた聖人伝，とくに『黄金伝説』は最も広く読まれ，キリスト教美術の典拠となった。聖人の図像は数多く制作され，膨大な聖人を識別するためのアトリビュートも普及した。

みとくポイント！　　**キリスト教美術の源泉『黄金伝説』**

　『黄金伝説』は 1260 年頃，ドミニコ会士ヤコブス・デ・ウォラギネによって編纂された聖人伝である。もとは説教家が使うためのものだったが，ラテン語の原典は各言語に翻訳され，頻繁に再版された。13 世紀後半以降，中世で最も読まれた宗教書のひとつであり，キリスト教美術において不可欠のテキストとなった。

福音書記者
ふく いん しょ き しゃ

Evangelists

資料7 『トリノ＝ミラノ時禱書』（複製）
「三位一体」（部分）

福音書記者とは，新約聖書の四つの福音書を著したとされる四人の聖人である。福音書はイエスの生涯と教えが記された，聖書のなかでもとくに重要な書である。

四福音書記者のアトリビュートは総じて福音書を示す本や巻物，筆記具（ペンやインク壺など）であるが，それに加えて『ヨハネの黙示録』に由来する四つの獣（黙4:6-8）も表される。この羽の生えた四つの獣は福音書記者のシンボルともなる。

資料7では，三位一体を取り囲むように四隅に福音書記者の各象徴が描かれている。三位一体は，主の「わたしの右の座に就くがよい」（詩編110:1）という言葉からイエスは父なる神からみて右に描くのが伝統的な表現となっている。さらに細密画家はそれぞれの位格（ペルソナ）が識別できるように，父なる神は地球儀に手を置き，子なる神は脇腹の傷をみせている。王侯貴族の時禱書の特徴は，注文主の意向が反映されている点にある。本資料では，三位一体を崇拝するベリー公の姿が枠外に描かれている。

マタイ Saint Matthew
黄金伝説 134

十二使徒の一人であり，もと徴税人。イエスは収税所にいるマタイに直接声をかけ，マタイはイエスの弟子となった（マタイ9:9）。そのため，徴税人として描かれるときは，財布や金の重量秤をアトリビュートとする。マタイは伝道中，不興をかった王に遣わされた兵士により背後から剣の一撃をあび殉教した。このことから殉教具の剣（ときに槍や斧）もアトリビュートとなる。

「マタイの肖像」
資料22 『リンディスファーン福音書』（複製）
原資料：698年／イギリス／羊皮紙／大英博物館蔵

『リンディスファーン福音書』（資料22）は四福音書の写本で，45色の天然顔料による豊かな色彩と精緻な装飾を特徴とする中世装飾写本の傑作とされる。装飾ページには，四人の福音書記者の肖像がある。マタイの肖像では，羽のある人間がシンボル，アトリビュートとして描かれている。これはマタイの福音書がイエスの家系や人性を記していることに由来する。

マルコ　Saint Mark　　　　　　　　　黄金伝57

使徒ペトロの弟子で，ペトロの監修のもと福音を記したとされる。アレクサンドリアで捕まったマルコは，首に縄をかけられ市中を引きずり回され殉教した。

🔍 マルコの肖像では，羽のある獅子が描かれる。これはマルコの福音書の「荒れ野で叫ぶ者の声がする」（マルコ1:3）や，獅子が復活の象徴でもあることから，イエスの復活をはっきりと語っていることに由来する。使徒たちよりも後の世代にあたるため，マルコは若者としても描かれる。

「マルコの肖像」

ルカ　Saint Luke　　　　　　　　　　黄金伝説149

ルカは医者で，使徒パウロの弟子となり，福音書や使徒言行録を記したとされる。聖母子の肖像を描き伝道に用いたという伝説もある。マリアについて一番詳しく記されているのがルカの福音書でもある。

🔍 ルカの肖像では，羽のある雄牛が描かれている。これはルカの福音書の冒頭に雄牛を犠牲にする場面や，イエスの十字架刑による犠牲を詳述していることに由来する。

「ルカの肖像」

ヨハネ　Saint John　　　　　　　　　　黄金伝説9

十二使徒の一人で，もと漁師。伝統的に『ヨハネの黙示録』の著者ともされる。兄弟のヤコブとともにイエスの最初期の弟子であり，イエスに「最も愛された弟子」。イエスの変容やゲツセマネの祈り，磔刑では使徒で唯一随行してマリアを託されるなど，イエスの重要な場面で登場する。伝道のさなか，煮えたぎる油釜にいれられたり，毒杯を飲まされたりするが無傷無害で生還し，十二使徒で唯一殉教せずに高齢で没したとされる。アトリビュートに油釜，毒杯，聖母の死の物語に関連する棕櫚などがある。

🔍 ヨハネの肖像では，鷲（わし）が描かれている。鷲を象徴とするのは，イエスの昇天に関する詳しい記述や，イエスの神性をほかの三人よりも高く飛翔して述べているからだとされる。ヨハネは使徒の中で最も若いことから，本肖像でも若者として描かれている。

「ヨハネの肖像」

使徒
Apostles

イエスが弟子の中から選んだ十二使徒は，シモン・ペトロ，その兄弟アンデレ，ゼベダイの子ヤコブ（大ヤコブ），その兄弟ヨハネ，フィリポ，バルトロマイ，トマス，マタイ，アルファイの子ヤコブ（小ヤコブ），タダイ，熱心党のシモン，イスカリオテのユダである。ユダが裏切り死んだあとはマティアが使徒となり，キリスト教を迫害していたが回心して異邦人への伝道を行ったパウロも使徒に数えられる。

■ ペトロ　Saint Peter

[新] マタイ 26:69-75, マルコ 14:66-72
ルカ 22:56-62, ヨハネ 18:15-18, 25-27, 使徒 12

シモン・ペトロはイエスの最初の弟子であり，使徒のリーダー的存在である。ペトロはイエスが逮捕されるとき，剣で兵士の耳を切り落とし，イエスが逮捕されたのちは逃げだしてイエスのことは知らないと三度にわたって否認した。そのとき「ペトロは『鶏が鳴く前に，あなたは三度わたしを知らないと言うだろう』と言われたイエスの言葉を思い出した。そして外に出て，激しく泣いた。」（マタイ26:75）

ペトロはネロ帝の迫害のもと十字架刑となる。しかしペトロは主と同じように架けられる資格はないと，十字架を逆さにして頭が下になるよう願い，その通りに処刑された。このため逆十字は「ペトロ十字」とも呼ばれる。

 『ヴェリスラフ聖書』（資料8）は，ルクセンブルク朝のボヘミア王ヤンなどに仕えた司祭ヴェリスラフが制作させた聖書写本。747点の細密画がメインとなっており，テキストは挿絵に関する数行で構成されている。ペトロの否認は，聖書ではイエスの裁判の合間に記されており，本資料でもイエスの裁判の場面と同じページでペトロの否認の場面が描かれている。ルカの福音書によると，ペトロはイエスが連行された大司祭の屋敷の門外にいたが，大司祭の知人だったイエスの弟子が門番の女中にいい，ペトロを中にいれさせた。そのとき女中がペトロに，イエスの弟子ではないかというがこれをペトロ

資料8　『ヴェリスラフ聖書』（複製）
「ペトロの否認」

は否定して火にあたる。大司祭がイエスを尋問中，ペトロはほかにも火にあたっていた人々に弟子ではないかといわれるがこれを否定する。さらにペトロに片耳を切り落とされた者の身内が，イエスと一緒にいるところを見たというがペトロは否認した。するとすぐに鶏が鳴いた。

資料7　『トリノ゠ミラノ時禱書』
（複製）「ペトロの解放」（部分）

　ペトロのアトリビュートには鍵があり，これはイエスから授かった天国の鍵である。聖書には「わたしはあなたに天の国の鍵を授ける。あなたが地上でつなぐことは，天上でもつながれる。あなたが地上で解くことは，天上でも解かれる。」（マタイ16:19）とある。資料7のペトロの解放の場面では，ヘロデ王によって捕らえられていたペトロが，天使によって救い出される場面（使徒12:6-11）が描かれている。細密画家は本場面に登場しない鍵をペトロにもたせている。

■ アンデレ　Saint Andrew

[新]マタイ4:18-22, マルコ1:16-20, ルカ5:1-11
黄金伝説2

　アンデレはペトロの兄弟で，二人はガリラヤ湖の漁師だった。あるとき兄弟が漁をしていると，イエスに「わたしについて来なさい。人間をとる漁師にしよう」（マルコ1:17）と声をかけられ，網を捨てて彼に従った。また，同じように漁をしていた大ヤコブとその兄弟ヨハネもイエスに声をかけられ，このとき弟子になった。

資料7　『トリノ゠ミラノ時禱書』
（複製）「聖アンデレの磔刑」（部分）

🔍 ……………………………………
　アンデレのアトリビュートにX字型の十字架があり，これはアンデレの殉教に由来する。資料7はアンデレの磔刑の場面で，X字型の十字架に縛り付けられている様子が描かれている。ページ下部にはアンデレがイエスの弟子となった，弟子の召命の場面が描かれている。ローマ総督により十字架刑に処されたアンデレは，十字架に磔にされながらも二日間生き，そのあいだ二万人に説教したという。アンデレが磔になった十字架の形に関する記述は黄金伝説にはなく，アンデレの磔刑の場面はイエスと同型の十字架で表されていた。しかし15世紀以降になるとしだいにX字型で表されるようになり，X字型十字は「アンデレ十字」と呼ばれるようになった。

聖人
Saint

　代願者や守護者として崇敬される聖人は，祝日を制定される聖人から民間で崇敬される聖人も含めるとその数は膨大である。縁のある土地や国，職業，諸名家や個人にいたるまでさまざまな守護聖人が存在する。

■ ゲオルギウス Saint George

黄金伝説56

　竜退治の騎士聖人。理想の騎士像でもあるゲオルギウスは，カトリック教会や正教会など，多くの教会や国などで非常に人気のある聖人である。

　ある町のそばの湖に巨大な竜が住み着いており，その竜は毒の息で疫病を流行らせ多くの人間の命を奪っていた。町の住民は羊を毎日捧げていたが，やがて人間もくじで決めて生贄としていた。ある日，王のひとり娘が選ばれる。選ばれた王女が湖で泣いていると，馬にのったゲオルギウスが通りがかる。事情を聞いたゲオルギウスは長槍と騎馬で竜を見事退治する。ゲオルギウスの偉業に王や住民はキリスト教に改宗し，ゲオルギウスは王からもらった莫大な財宝を貧しい人々に分配するのだった。

　家財一切をもなげうち貧しい人々に分け与えたゲオルギウスは，ディオクレティアヌス帝の迫害を嘆き，その身ひとつで訴え出る。捕らえられたゲオルギウスはあらゆる拷問にかけられた。全身を釘で引き裂かれ，裂け目から腸がのぞくまで松明で脇腹を焼かれ，傷口に塩を塗り込まれた。それでも屈服しないゲオルギウスは，さらに毒杯を飲まされ，車裂きにされ，煮えたぎる鉛の釜に入れられるが主の加護により無事だった。今度はゲオルギウスを改宗させるために異教の神殿に連れてこられたが，彼の祈りによって神殿は偶像もろとも瓦解する。しかし，町中を引き回されたあと斬首され，ついにゲオルギウスは殉教した。

資料23　受胎告知と諸聖人
19-20世紀／ルーマニア／ガラス製，
着色，額装／西南学院大学博物館蔵

資料23はルーマニア正教会のガラスイコンで，受胎告知の場面を中心に，イエスやマリア，正教会の祭司や諸聖人が周りに配置されている。ゲオルギウスは左下に描かれており，馬上から足元の竜にむかって槍を突き出している。これは典型的なゲオルギウスの構図である。ゲオルギウスはキリスト教を守護する戦士でもあるため，退治される竜は異教徒への勝利を象徴する。ゲオルギウスのアトリビュートには，長槍や剣，十字模様の盾や赤十字の白旗などがある。

■ フランシスコ・ザビエル　Saint Francis Xavier

　日本にゆかりのある聖人。イエズス会の創立メンバーのひとりで，主に東洋で伝道活動を行い，日本にキリスト教を伝えた。1522年に熱病で没し，1622年に列聖された。すべての宣教師の守護聖人とされる。

　イエズス会とはカトリック教会の男子修道院で，対抗宗教改革期の1534年（教皇の認可は1540年）に創立された。非キリスト教徒への宣教活動を重要視し，現地での教育事業（神学校の設立や現地人を司祭に養成するなど）を中心とした改宗を方針とした。プロテスタント諸国や日本などで迫害にあい，多くの会員が殉教している。

資料24　『聖フランシスコ・ザビエル伝』
1793年／ローマ（イタリア）／ジュゼッペ・マッセイ／紙に活版・銅版／西南学院大学博物館蔵

　『聖フランシスコ・ザビエル伝』（資料24）は，イエズス会士が著したザビエルの伝記の簡略版で，25点の銅版画が収録されている。ザビエルは本図のように，黒い修道服をまとった短い黒髪（ときに剃髪している）に髭のある男性として描かれることが多い。

アトリビュート▶ IHS

　イエスという名称の省略形。ラテン語の「人類の救い主イエス」（Iesus Hominum Salvator）の頭文字としても解釈される。
　イエズス会ではIHSを会の紋章としており，「我らはイエスを我らが友として持つ」（Iesum Habemus Socium）として意味を解釈している。

さいごに

　本書ではキリスト教の主要な人物を通じて，聖書の話や聖人伝を
ご紹介しましたが，これはほんの一例に過ぎません。人物の描写に
ついても，時代や教派が違えば様式ががらりと変わることも珍しく
ありません。しかし，本書で取り扱ったポイントなどを手掛かりに，
自分で調べ，みとくことが可能なのがキリスト教美術でもあります。
キリスト教の文化や歴史を知っていれば理解度もぐんと深まること
でしょう。

　さいごに，キリスト教美術は絢爛豪華なものから純朴なものまで
さまざまあります。私たちはそれらを美術作品として鑑賞しますが，
忘れてはいけないのが，それらは信者にとっては大切な祈りのため
のものでもあるということです。誰かにとってはただの綺麗な絵で
も，誰かにとっては信仰の寄る辺となります。どうかそのことを心
に置いていただいて，キリスト教美術をはじめとする文化や歴史に
触れていただけたら幸いです。

山尾彩香

◇主要参考文献

エミール・マール，田辺保訳『キリストの聖なる
　伴侶たち』みすず書房，1991年
エリザベート・クラヴリ，船本弘毅監修『ルルド
　の奇跡：聖母の出現と病気の治癒』創元社，2010
　年
大島力監修『名画で読み解く「聖書」』世界文化社，
　2013年
岡田温司『処女懐胎』中央公論新社，2007年
岡田温司『キリストの身体』中央公論新社，2009
　年
岡田温司監修『聖書と神話の象徴図鑑』ナツメ社，
　2011年
クラウス・シュライナー，内藤道雄訳『マリア：処
　女・母親・女主人』法政大学出版局，2000年
鐸木道剛『イコン：ビザンティン世界からロシア，
　日本へ』毎日新聞社，1993年
千足伸行監修『すぐわかるキリスト教絵画の見か
　た』東京美術，2005年
秦剛平『新約聖書を美術で読む』青土社，2007年
秦剛平『美術で読み解く聖人伝説』筑摩書房，2013
　年
高階秀爾『ダ・ヴィンチの「最後の晩餐」はなぜ傑作
　か？：聖書の物語と美術』小学館，2014年
高階秀爾《受胎告知》絵画でみるマリア信仰』
　PHP研究所，2018年
高橋保行『イコンのかたち』春秋社，1992年
蜷川順子『聖心のイコノロジー：宗教改革前後ま
　で』関西大学出版部，2017年
竹下節子『聖母マリア』講談社，1998年
宮下規久朗『聖母の美術全史』ちくま新書，2021
　年
シェル・ド・セン・ピエール，聖心女子学院編訳『ベ
　ルナデッタとルルド』中央出版社，1958年
諸川春樹監修『西洋絵画の主題物語』美術出版社，
　1997年
諸川春樹ほか『聖母マリアの美術』美術出版社，
　1998年
ヤロスラフ・ペリカン，関口篤訳『聖母マリア』
　青土社，1998年
L.S.カンニンガム，高柳俊一訳『聖人崇拝』教文館，
　2007年
若桑みどり『象徴としての女性像：ジェンダー史
　から見た家父長制社会における女性像』筑摩書
　房，2000年
若桑みどり『聖母像の到来』青土社，2008年
González de Zárate, Jesús María, *LA VIDA DE LA
VIRGEN. País Vasco, C.M. Editores, 2018
Anne H. van Buren, James H. Marrow, Silvana
Pettenati, *Heures de Turin-Milan*. Torino, Museo
Civico di Torino & Faksimile Verlag Luzern,
1996
Biblioteca Estense Universitaria, *OFFIZIOLO
ALFONSINO* commentario, Modena, Il Bulino
edizioni d'arte, 2002

【図録】
内島美奈子，山尾彩香編『キリスト教の祈りと芸
　術：装飾写本から聖画像まで』花乱社，2017年
下園知弥編『聖母の美：諸教会におけるマリア神
　学とその芸術的展開』花乱社，2019年
下園知弥，宮川由衣共編『宣教師とキリシタン：
　霊性と聖像のかたちを辿って』花乱社，2021年
下園知弥，勝野みずほ共編『印刷文化の黎明：イ
　ンキュナブラからキリシタン版まで』花乱社，
　2022年

【事典・図鑑類】
今橋朗ほか監修『キリスト教礼拝・礼拝学事典』
　日本キリスト教団出版局，2006年
大貫隆，宮本久雄ほか編『岩波キリスト教辞典』
　岩波書店，2002年
オットー・ヴィマー，藤代幸一訳『図説聖人事典』
　八坂書房，2011年
ゲルト・ハインツ＝モーア，内田俊一ほか訳『西
　洋シンボル事典：キリスト教美術の記号とイメ
　ージ』八坂書房，2003年
ジェイムズ・ホール，高階秀爾監修『西洋美術解
　読事典：絵画・彫刻における主題と象徴』河出
　書房新社，2004年
ジェニファー・スピーク，中山理訳『キリスト教
　美術シンボル事典』大修館書店，1997年
上智学院新カトリック大事典編纂委員会『新カト
　リック大事典』第1-4巻，研究社，1996-2009
　年
柳宗玄，中森義宗編『キリスト教美術図典』吉川
　弘文館，1990年
Carson, Thomas and Cerrito, Joanne et al. ed., *New
Catholic Encyclopedia*, 2nd edition, Washington
D.C., Catholic University of America, 2003.

【聖書・外典】
『聖書：新共同訳』日本聖書協会
荒井献編訳『新約聖書外典』，講談社，1997年
ヤコブス・デ・ウォラギネ，前田敬作ほか訳『黄
　金伝説』第1-4巻，人文書院，1979-87年

資 料 目 録

番号	資料名	年代／制作地／作者／素材・形態・技法	サイズ(cm)	所蔵 ( )内は原資料
第Ⅰ章　イエス・キリスト				
1	全能者キリスト	20-21世紀／ギリシア／板，着色	縦19.0×横15.0	西南学院大学博物館
2	『福音書についての註解と瞑想』	1595年／アントワープ（ベルギー）／ヘロニモ・ナダル／紙に銅板	縦33.5×横23.0	西南学院大学博物館
3	キリストの降誕	20-21世紀／ギリシア／板，着色	縦25.0×横19.0	西南学院大学博物館
4	東方三博士の礼拝	17世紀以降／フランドル／カンヴァスに油彩，額装	縦72.5×横51.0	西南学院大学博物館
5	時禱書零葉「キリストの生涯」	1502年頃／パリ（フランス）／羊皮紙に活版，木版，手彩，ギルティング	縦17.5×横11.3	西南学院大学博物館
6	『神曲』天国篇	1491年／ヴェネツィア（イタリア）／ダンテ・アリギアーエ／紙に活版・木版	縦30.7×横19.7	西南学院大学博物館
7	『トリノ=ミラノ時禱書』（複製）	原資料：1380-90，1420年／フランス／ヤン・ファン・エイクほか	縦29.2×横21.5	西南学院大学博物館（トリノ市立古典美術館）
8	『ヴェリスラフ聖書』（複製）	原資料：14世紀前半／羊皮紙	縦30.7×横24.5	西南学院大学博物館（チェコ国立図書館）
9	キリストの鞭打ち	ロシア／木製，着色	縦5.5×横4.5	西南学院大学博物館
10	磔刑	18世紀／フィリピン／木製，着色	縦64.0×横42.5	西南学院大学博物館
第Ⅱ章　聖母マリア				
11	『聖母伝』(複製)	原資料：1511年／ニュルンベルク(ドイツ)／アルブレヒト・デューラー／書冊，木版	縦32.7×横24.5	西南学院大学博物館（スペイン国立図書館，バイエルン州立図書館）

12	時禱書零葉 「受胎告知」	1500年頃／ヨーロッパ／羊皮紙に活版，彩色，メタルカット	縦31.0×横25.5	西南学院大学博物館
13	『エステ家アルフォンソ1世の聖務日課』(複製)	原資料：1505-10年頃／フェッラーラ(イタリア)／羊皮紙に彩色	縦27.5×横19.3	西南学院大学博物館 (カルースト・グルベンキアン財団博物館，ストロスマイヤーギャラリー)
14	不思議のメダイ	1854年／フランス／青銅	縦3.5×横2.5	西南学院大学博物館
15	悲しみのマリア	18世紀／フィリピン／木製，着色	縦38.5×横25.5	西南学院大学博物館
16	ピエタのメダイ	17世紀／青銅	縦2.3×横2.0	西南学院大学博物館
17	無原罪の御宿りのメダイ	1854年／イタリアもしくはフランス／青銅	縦3.8×横2.8	西南学院大学博物館
18	無原罪の御宿りの聖母像	18世紀／フィリピン／木製，着色	高27.5×幅9.0×奥行8.0	西南学院大学博物館
19	『ゲティの黙示録』(複製)	原資料：13世紀半ば／イギリス	縦32.6×横23.5	西南学院大学博物館 (J. ポール・ゲティ美術館)
20	ルルドの聖母像	21世紀／イタリア／PEMA／木製，着色	縦14.0×横5.0×奥行4.5	西南学院大学博物館
21	ウラジーミルの聖母(複製)	原資料：12世紀初頭／板，テンペラ	縦19.0×横13.7	西南学院大学博物館 (トレチャコフ国立美術館)
第Ⅲ章　諸聖人				
22	『リンディスファーン福音書』(複製)	原資料：698年／イギリス／羊皮紙	縦36.5×横30.5	西南学院大学博物館 (大英博物館)
23	受胎告知と諸聖人	19-20世紀／ルーマニア／ガラス製，着色，額装	縦71.0×横61.0	西南学院大学博物館
24	『聖フランシスコ・ザビエル伝』	1793年／ローマ(イタリア)／ジュゼッペ・マッセイ／紙に活版・銅版	縦19.8×横14.0	西南学院大学博物館

■編者略歴

山尾彩香 （やまお・あやか）
1989年，福岡生まれ。西南学院大学大学院国際文化研究科
国際文化専攻博士前期課程修了。現在，西南学院大学博物
館学芸研究員，西南学院大学非常勤講師。専門は西洋美術
史，キリスト教美術。
主な編著『キリスト教の祈りと芸術：装飾写真から聖画像
まで』（花乱社，2017年），『ジュダイカ・コレクション　ユ
ダヤ教の祝祭』（同，2021年）など。

2022年度　西南学院大学博物館企画展Ⅱ
2022年 9 月19日〜2023年 1 月14日

西南学院大学博物館研究叢書
キリスト教美術をみとく
イエス・キリスト，聖母マリア，諸聖人

2022年 9 月19日　　第 1 刷発行
編　　者　山尾彩香
発　　行　西南学院大学博物館
　　　　　〒814-8511　福岡市早良区西新 3-13-1
　　　　　電話 092（823）4785　FAX 092（823）4786
制作・発売　合同会社 花乱社
　　　　　〒810-0001　福岡市中央区天神 5-5-8-5D
　　　　　電話 092（781）7550　FAX 092（781）7555
印刷・製本　大村印刷株式会社
ISBN978-4-910038-62-9